저자 소개

안녕하세요,
철저한 개인주의자, 원칙주의자, 그리고 자유로운 영혼이라 불리는
권예니입니다.

대한민국에서 태어났고 조금의 고난은 있었지만
저의 가치관을 존중해주시는 어머니의 도움과 가르침으로
제가 늘 원했던 인생을 살고 있습니다.

현재 고려대 국제대학원 학생입니다.
독립심과 창의성을 중시하는 국제학교에서 배운 것들을
언젠가는 모두 표출하고 싶은 자라나는 꿈나무입니다.

어쩜 그리 자유롭고 당당할 수 있냐는 지인분들에게
이 책을 조심스레 선물해드리고 싶습니다.

저희 어머니께서 저를 강하게 키우셨으니까요.

엄마 소개

저희 어머니께서는 82년생으로 27살에 결혼을 했어요.
저와 함께하기 전까지는 미술교육에 전념했어요.

그래서인지 저는 패션과 아트에 남다른 관심을 보여
아트를 중심으로 가르치는 캐나다 학교에 저를 진학시키셨어요.
물론 그 곳에서도 이 곳에서도 적응이라는 게 쉽지만은 않았죠.
그럴 때마다 어머니께서 크고 작은 조언들을 해주셨어요.

그게 지금 제가 가진 강인함과 자존감이 되었다 해도 과언이 아닌 것
같아요.

어머니를 통해 책을 읽지 않고도 사회의 많은 부분들에 대해서 배워나갈
수 있었어요. 물론 저희 어머니에 대해서 어떠한 특권의식을 가지고 있는
것은 전혀 아니에요. 엄마라는 사람. 그런 사람들은 모두
대단한거잖아요.

목차

Lessons from Mom

1. 생일은 나와 내 가족들의 사랑과 탄생을 기념하기 위한 날이었다.
2. 네가 정말 아프고 힘들 때는 과학자가 아닌 친구가 필요한 거란다.
3. 아주 큰 잘못을 한 게 아니라면 약자의 잘못을 하나하나 따지지 않고 넘어갈 줄도 알아야 한다.
4. 내가 언어라는 무기로 감히 누구에게 상처를 주고 상처를 받았나.
5. 우리 엄마는 50세에 들어서 피트니스 강사가 되었다.
6. 그 때는 너가 엄마 아빠를 비웃지 말고 잘 챙겨줘야 해.
7. 엄마도 아빠도 그리고 이 세상에 그 누구도 신이 아닌 이상 완전할 수가 없단다.
8. 세상 속 마음의 문을 닫아버린 사람이 인사를 안 하는 것이다.
9. 겪어보지 않으면 많은 것들이 쉽게만 느껴진다.
10. 나는 감정과 뇌에서 나오는 에너지를 악인들에게 투자하지 않는다.
11. 좋지 않는 사람과 계속 함께 하는 것, 외로움을 이겨내기 위한 정당화일 뿐.
12. 내가 먹은 밥 그릇 내가 치우기, 그거 하나면 엄마를 미소짓게 하는 데에 충분했다.
13. 본인이 받는 미움이 곧 부모가 받는 고통이 된다.
14. 사랑하는 사람을 위해 피땀 흘리는 것, 그걸 희생이 아닌 사랑이라고 부르는 사람이다.

15. 그런데 네가 도대체 무슨 수로 남의 마음을 훤히 들여다
    보겠니.
16. 엄마 아빠가 살면서 좋은 일들을 많이 하였기에 네가
    이렇게 축복된 삶을 사는 거란다.

엄마 "띵언"집

발 행 | 2024년 6월 7일

저 자 | 권예니

펴낸이 | 한건희

펴낸곳 | 주식회사 부크크

출판사등록 | 2014.07.15(제2014-16호)

주 소 | 서울시 금천구 가산디지털1로 119, SK트윈타워 A동 305호

전 화 | 1670- 8316

이메일 | info@bookk.co.kr

ISBN | 979-11-410-8831-6

www.bookk.co.kr

〈너의 생일은 내 인생에서 가장 축복된 날이란다〉

친구에게서 생일 축하 메세지를 받고 선물을 받는 등
외부적인 것에 신경을 전혀 안 쓰는 내가 어느 날 말했다.

"나는 생일에 별로 의미 안 둬."

그랬더니 엄마가 내게 반론했다.

"생일은 네가 아닌 나를 위한거야.
내가 엄마가 된 가장 축복된 날이야.
내 삶의 가장 큰 변환점.
그 때부터 너와 함께 하게 되었으니.
내 분신.
나에게는 너의 생일이 가장 의미 있는 날이란다."

생일이란 것은 참 귀찮다.

나와 친해지기 위한 사람들이 아부를 떨고

내가 친했다고 생각한 사람들이 나를 무시하고

사람들에게서 오는 행복과 실망의 반복.

생일을 하찮게 여기는 내 자신이 그 순간 하찮게 느껴졌다.

생일은 나와 스쳐 지나가는 사람들의 관계에 관한 것이 아니었다.

생일은
나와 내 가족들의
사랑과 탄생을
기념하기 위한 날이었다.

〈한 명이라도 너의 얘기를 들어줄 수 있다면 된거야〉

나는 결벽증에 건강 염려증이 있다.

태어나서 단 한 번도 청소를 하지 않고 잔 적은 없다.

아주 작은 피부 트러블이 나면 한 시간을 기다려서라도 의사를 방문한다.

아주 조금 우울할 때도 신경정신과를 가서 마음을 털어놓는다.

어느 순간 이상한 생각이 들었다.

내 아픔을 털어 놓을 때 마다 이 사람은 돈을 번다.

제대로된 해결책을 마련해줄 수도 없으면서.

약물 복용에도 한계가 있다.

이 사람에게 더 이상 내 시간과 돈을 투자할 가치가 없다

느껴지니 더 암울했다.

차라리 엄마에게 달려가 엉엉 울었다.

아무것도 하기 싫고 짜증난다며 투정 부렸다.

엄마의 품이 그렇게 따뜻할 수 없었다.

엄마의 심장소리를 들으니 이상하리만큼 진정이 빨리 이루어졌다.

나를 생각해주는 누군가의 심장 박동.

그걸 느낄 수 있다면 전문가의 도움이 그닥 필요하지 않다.

엄마가 말했다.

엄마이던 애완 강아지이던 인형이던 일가장이던 간에

네가 마음을 모두 터 놓고 엉엉 울 수 있는 존재 하나면 너는 충분해.

너의 아픔을 과학으로 판단하지 않고

그저 아무 잔소리 없이

너의 슬픔을 흡수해줄 수 있는 그런 존재.

네가 정말 아프고 힘들 때는

과학자가 아닌 친구가 필요한 거란다.

〈모든 사람은 힘겹게 하루하루를 살아가고 있단다〉

지하철에서 할머니 할아버지들이 내 허벅지를 너무 빤히 쳐다본다.

그건 본인의 자유지.

근데 왜 자꾸 내 등을 밀쳐서 균형을 잃게 만드는지는 모르겠다.

그것도 개인의 자유라 해야하나…?

틈으로 누군가 폰이라도 떨어뜨리면 어쩌려고 그러는지.

집에 갔더니 엄마가 나를 위로했다.

그 분들은 집에 에어컨이 없어서 여름이 되면

지하철이나 마트에서 시간을 보낸다고.

나처럼 젊은 친구들 사는 거 구경하며 재미를 느끼기도 하고

그것도 지루해지면 괜히 한 번 트집을 잡기도 한다며.

그건 그렇다.

그런 재미도 없이 힘도 직업도 없는 사람이

어떻게 하루하루를 버티며 살까.

아주 큰 잘못을 한 게 아니라면
약자의 잘못을 하나하나 따지지 않고
넘어갈 줄도 알아야 한다.

그건 바보 같은 게 아니라 생활의 지혜라고 한다.

〈네가 한 번이라도 힘들었다면 그건 폭력이야〉

초등학생 때 나는 또래보다 키가 크고 말랐다.

지금은 그게 나의 장점이지만 그 때는 그게 제일 싫었다.

그 이유로 따돌림을 당했기 때문이다.

꺽다리라고 불렸다.

어릴 때 가장 좋아했던 연예인은 태연 아이유.

작고 귀여워서 그게 가장 힘 있어 보였다.

집에 가서 엄마에게 "누가 내 뒷담화를 했어"

이 한마디면 모든 게 해결 완료.

엄마는 아이 엄마의 번호까지 찾아내 직접 얘기하기도 했다.

예니가 동물이 아닌 사람이기 때문에.

그 아이의 대화에서 직감적으로 예니가 소외되는 것을 느낄 수 있었다면

그건 그 아이의 잘못이죠.

평소에는 얼굴 붉히며 떠들던 엄마가

얼굴색 하나 변하지 않는 나의 듬직한 변호사가 되어주었다.

언어라는 게 참 중요하다는 걸 알게 해준 엄마였다.

사소한 말 한마디라도 분위기를 조성하는 데에는 충분하다.

아무리 어려도 언어라는 걸 쓰기 때문에

언어의 힘을 알지도 못하고 쓰는 것은 폭력이다.

알고 쓰는 것은 더 큰 폭력이다.

내가 언어라는 무기로 감히
누구에게 상처를 주고 상처를 받았나.

폭력을 당하고 내가 더 나은 사람이 되어 같은 일을 저지르지 말아야지.

이렇게 생각하는 사람들만 있으면 좋겠지만

나는 그렇지 못했다.

피부가 좋지 않은 친구를 지적해 웃음거리로 만들었다.

살면서 딱 한 명뿐이었지만 수가 중요하지는 않다 생각한다.

적어도 그 아이에게 나는 피하고 싶은 폭군이었으니까.

〈늦은 시작은 없어〉

우리 엄마는 50세에 들어서 피트니스 강사가 되었다.

대박…
첫 번재 시험은 불합격.
또 다시 공부에만 몰입해 드디어 합격.

그리고 일을 시작한지 벌써 7개월 째.
매일 새벽에 일어나 2시간 이상 트레이닝 준비를 한다.

엄마는 불가능을 가능으로 만들어버렸다.

체대를 졸업해도 쉽게 하기 힘든 일이 피트니스 강사이다.
그 높은 경쟁을 뚫고 자격증을 얻은 엄마가 대단하다.
물론 운동도 더 많이 하고 공부도 더 많이 한다.

엄마는 늘 어지러움과 근육통을 호소한다.
다른 강사들보다 나이가 훨씬 많으니 어쩔 수 없다.

때가 지나가버린 것은 없다고.

그렇게 자부하던 엄마의 미소를 잊을 수 없다.

〈늙어간다는 것은 어린아이가 된다는 것〉

엄마는 왜 그렇게 귀여워?

나는 예전처럼 또박또박 발음하지 않는 엄마가 사랑스럽다.
놀이터 꼬마들처럼 본인의 의사를 노래로 표현하기도 한다.
아이스크림을 바닥에 떨어뜨리고 치우지도 않는다.

아빠도 너무 귀여워.
이제는 함께 햄스터를 보러 대형마트에 차를 주차하고 웃고 떠든다.

변해가는 본인들의 모습을
별로 들키고 싶어하지 않는
나의 소중한 사람들.

그리고 차를 찾으로 주차장으로 가면 헤메고 또 헤멘다.

내가 한국인이라고 해서 이유 없이 괴롭히던 캐나다 선생님들도

어른이 되고 만나니 너무 작아 보였다.

내가 커진건지 뭔지 잘 모르겠지만

위화감 하나 없는 친근한 모습이었다.

그 사람은 예전과는 모든 게 달랐다.

뭐가 그렇게 웃긴지 본인이 말하고 본인이 웃기도 한다.

나중에 엄마 아빠가 더 늙게 되면 더 웃길거야.

시간이 지나면 우리는 완전 어린아이가 되어 있을걸.

그 때는 너가 엄마 아빠를 비웃지 말고 잘 챙겨줘야 해.

내가 그토록 어려워하던 어른들과 친해지는 게 나는 즐거웠는데

그게 마냥 즐거운 일은 아니구나…

〈세상에 맞고 틀린 것은 없다〉

많은 사람들은 부모에게서 혹은 상사에게서 상처를 받고 산다.

나는 다행히 엄마가 어릴 때부터 많은 얘기들을 해주기도 했고
어른이 되서는 성향 자체가 주변 시선을 전혀 신경 쓰지 않는 탓에
남들의 자잘한 언행들에 상처 받은 적은 없다.
자고 일어나면 어차피 잘 생각이 안난다.

그렇지만 딱 하나 잊지 못하는 게 있다면,
가족들에게서 들은 말들이다.

왜냐면 그 사람들은 내 사람들이니까.
그 사람들에게 좋지 않은 말을 들으면 영원한 타격이 된다.

내가 컨트롤 할 수 없는 부분이었다.

사소한 것에 덜컥 울음을 터뜨리는 사춘기 소녀에게 엄마가 그랬다.

예니야,

엄마가 실수를 했다면 미안해.

부디 용서해다오.

엄마도 아빠도 그리고 이 세상에 그 누구도
신이 아닌 이상 완전할 수가 없단다.

나 또한 너를 배려하려고 하지만 배려심 없는 말을 할 때가 있었구나.

그건 어쩔 수 없어.

그냥 모질이라고 생각하고 넘어가다오.

부모가 하는 말이라고 해서 법이 되지는 않아.

무엇이 맞고 틀린지는 예니가 정하면 된단다.

우리가 틀린 말을 해서 마음 상하는 일이 없으면 좋겠구나.

〈인사는 인간의 기본〉

사실 나는 인사를 더럽게 안 한다.

그래서 학창 시절에 선배들 기숙사에 불려간 적도 있다.

꼰대들.

눈을 왜 그렇게 뜨냐고 했다.

그 이후로는 그냥 사람들을 보지 않고 걷기로 했다.

우리 엄마는 나랑 달라도 너무 다르다.

그래서 많이도 혼났다.

엄마 친구들 보면 인사 좀 하고 지나가라고.

교육 못 받은 사람처럼 행동하지 말라고.

사실 인사는 전 세계에서 한국인들이 가장 잘 한다.

그거 하나는 무조건 본 받아야 한다.

누군가를 미소 짓게 하는 일.

안녕하세요. 잘 지냈죠?

그 짧은 아침 인사.

그거 하나면 되는데.

그 정도 마음의 여유가 없는 사람이야말로 치료가 필요한 사람이다.

인사를 잘 한다는 것은 오지랖?

노노.

네가 이 세상에 존재한다는 걸 알고 있어.
존재해주어서 너무 고마워.

서로의 존재를 느끼게 해주는 짧은 방식.
그게 인사의 힘이다.

인사를 한다고 그 사람이 쫓아와서 친구하자고 안 한다.

본인이 개성 넘치는 개인주의인 것은 모두가 이해한다.
인사를 하고 안 하는 것은 성향의 문제가 아니다.

세상 속 마음의 문을 닫아버린 사람이 인사를 안 하는 것이다.

〈돈 버는 게 제일 어려워〉

기숙사에서 혼자 살 때 스트레스 풀 방법이 없었다.
그래서 가끔 야식을 8만원치 시켜 먹고 그랬다.
그게 안 좋은 습관으로 자리 잡아 대학생이 되서도 그랬다.

엄마가 울면서 내가 전화를 걸었다.

말로만 나중에 커서 돈 벌어 온다 하지 말고 직접 돈을 벌어봐.
그게 얼마나 힘든지 너는 몰라.

그래서 나는 기가 차서 그 다음 날 학교가 끝나고 알바를 하러 갔다.

나는 참 생각이 짧았다.

그 어떤 곳에서도 나를 알바로 쓰지 않았다.
전통적인 한국 이미지를 찾는다는 게 주된 이유였다.
다행히 계약직으로 나를 쓰겠다는 영어학원들은 꽤 많았다.
근데 가만히 앉아서 가르치는 직업이 나랑 안 맞아서 탈락.

나의 자유가 모두 보장되고

내 끼와 지식을 모두 표출할 수 있는

질리지 않는 일을 하며 돈을 버는 게 쉬운 일은 아니었구나.

우리 엄마 아빠는

엄청난 책임감을 갖고서

오랫동안 큰 희생을 하고 있었구나.

겪어보지 않으면 많은 것들이 쉽게만 느껴진다.

내가 경험이 있는 이상 이제는

편의점 알바생들도 그냥 지나칠 수는 없다.

수고하세요

말 한마디는 예의 있게 하고 퇴장한다.

〈악인은 나쁜 게 아니라 불쌍한거야〉

엄마의 클라이언트들 중에 약속을 계속 어기는 불량 학생이 생겼다.

아버지 혼자서 아이를 키우는 안정적이지 못한 가정이었다.

그 어떤 정신적 스트레스를 받고 와도 엄마는 뿌듯해보였다.

엄마없는 아이가 가장 불쌍한 거라며

간식이라도 챙겨주겠다고 다짐했다.

드라마나 영화를 봐도 그렇다.

진짜 재수없는 캐릭터들도 결국 다 사정이 딱해서 그렇게 된다.

나는 환경론을 믿는다.

엄마가 나를 그렇게 키워왔다.

엄마는 내가 악인들 때문에 힘겨운 하루들을 보낼 때

같이 미워한 적이 단 한 번도 없었다.

오히려 날 괴롭히는 사람들의 장점을 찾으려 집에 초대하기도 하였고

사랑과 용서의 힘에 대해서만 가르치려 했다.

그래서 그런지 나는 지금도 대인배 소리를 자주 듣는다.

사실 어른이 되고 나서야 그런 소리를 듣는다.

하지만 엄마랑은 꽤 다른 처세술을 가지고 있다.

엄마는 반응한다.

악인을 사랑하려는 것.

그것도 어떻게 보면 반응이다.

나는 감정과 뇌에서 나오는 에너지를 악인들에게 투자하지 않는다.

나의 에너지는 한정되어 있다.

밥 먹기 산책하기 글 쓰기 노래 듣기

그 모든 것에 나의 에너지가 골고루 쓰인다.

내 하루를 내 미래를

바로 어떠한 식으로 고쳐주지 않을 것에

내 소중하고 연약한 에너지를 투자하는 것은

세상에서 제일 어리석은 것이다.

〈그래도 말 한마디 조심하지 않는 친구는 버려〉

마음의 평화를 위해서는 용서가 필수.

용서하는 것은 용서하는 것이고,

용서를 했다고 해서 서너번 잘못한 사람을

계속 친구로 두지는 마.

나도 그 말에 동의한다.

좋지 않는 사람과 계속 함께 하는 것.

외로움을 이겨내기 위한 정당화일 뿐.

함께 한다고 해서 그 사람이 좋은 사람이 되는가.

사람들간의 관계.

정말 복잡하고 미묘하다.

허무해지기도 한다.

이 사람과 친해지는 데에 얼마나 오랜 노력과 시간이 걸렸는데…

말 실수 하나로 하룻밤 사이 우리는 적이 된다.

구겨진 종이는 다시 펴지지 않는다.

그래도 버릴 종이는 버린다.

구겨지지 않는 종이,

드물지만 존재하기 때문에.

〈설겆이 좀 해〉

엄마가 늘 잔소리하는 게 있다.

밥 차려주면 됐지

내가 설겆이까지 해야해?!

나는 습관처럼

엄마가 차려주는 밥을 먹고

엄마가 설겆이까지 하기를 기대하고

설겆이가 끝나면 엄마는 나와 손뼉치기 놀이를 했다.

어른이 된 지금도

나는 독립적인 여자인척 행세만 하지

집에서는 설거지도 잘 안 하는 철부지 딸이다.

그러던 어느 날,

나는 장갑을 끼고 설거지를 하기 시작했다.

하나도 힘든 게 아니었다.

별로 더럽지도 않았다.

엄마가 돌아왔다.

내가 철이 드디어 들었다며 줄곧 콧노래를 살랑살랑 흥얼거렸다.

그게 그렇게나 좋을까…

사실

엄마를 행복하게 만드는 데에 그렇게 많은 게 필요한 게 아니었다.

내가 먹은 밥 그릇
내가 치우기
그거 하나면 엄마를 미소짓게 하는 데에 충분했다.

〈너는 나의 자부심〉

엄마는 내가 밖에서 사고를 치고 돌아올 때마다
늘 그런 소리를 했다.

"네가 밖에서 남에게 피해를 주면 모두 내 손해야.
가정교육 잘못 받은 사람처럼 행동하지마."

사실 맞는 말이다.

나도 밖에서 누가 나에게 싫은 행동과 소리를 스스럼없이 하면
그 사람의 교육환경을 궁금해하게 된다.

속에서 쌓인 게 많고 제대로 된 대우를 받지 못했을 때
밖에서 아무 죄 없는 사람들에게 속풀이를 하게 된다.

사실 과학적인 근거는 부실하다.

가정환경이 한 사람의 인격의 전체를 좌지우지하지는 않는다.

그렇지만 본인을 너무 사랑해주는 부모님이 계시다면

행동을 조심해라.

본인이 받는 미움이 곧

부모가 받는 고통이 된다.

본인의 정체성이

본인을 사랑하는 누군가의 정체성과 동일시될 수 있다는 점

그걸 꼭 기억하고 살아야 한다.

본인이 하는 선행이 곧

부모의 기쁨이 되기도 한다.

〈엄마는 택시기사〉

엄마는 4시간이고 6시간이고 찻길에서 많은 시간을 보내왔다.

모두 우리 가족 때문이었다.

내가 공항에서 집으로 올 때

동생이 집에서 기숙사로 갈 때

아빠가 다리 거동이 불편해 운전을 못할 때

엄마는 우리 집안의 기사님이시다.

늘 캔커피를 냉장고에서 꺼내어 마시고

으샤으샤 힘을 내어 운전대를 잡는다.

엄마는 그런 사람이다.

사랑하는 사람을 위해 피땀 흘리는 것.

그걸 희생이 아닌 사랑이라고 부르는 사람이다.

어느 밤 엄마에게 물었다.

엄마는 다시 태어나도 엄마가 될거야?

대답은 하지 않았다. 하하.

엄마는 다시 내게 말했다.

그건 잘 모르겠지만 엄마가 되어야 한다면

나의 엄마가 될 거라고.

그럴 것도 같다.

하느님께서 엄마가 날 얼마나 사랑하는지 누구보다 잘 알테니.

엄마에게 다음 생에도 엄마가 되어야 하는 의무가 주어진다면

무조건 나의 엄마가 될 수 있게 도와주실 것 같다.

〈남의 마음은 네가 알 수 없어〉

나는 늘 또래에 비해 비판적인 생각들을 표현했다.

그러다보니 남들이 왜 이런 행동과 생각을 하는지

집에 와서 골똘히 생각하며 사람들을 평가해왔다.

3학년 때였다.

날 좋아하는 것 같아보였던 남자아이가 다른 아이와 사귀었다.

나는 그 아이에 대한 일기를 쓰며

그 아이의 정서가 불안할 거라 가정했다.

그 때 엄마가 나에게 따끔한 일침을 날렸다.

예니야,

너도 너의 마음을 잘 모를 때가 있잖니.

너처럼 매일 통찰하는 인간들도 힘든 게

본인에 대해서 알아가는 거야.

그런데 네가 도대체 무슨 수로 남의 마음을 훤히 들여다 보겠니.

〈선행은 반드시 돌아온다〉

시간엄수를 세상에서 잘 하는 울 엄마.

엄수하지 못 할 때가 있다면 바로

남들을 도울 때다.

엄마는 우리집 청소부와 친하게 지냈다.

청소부가 우리 물건들을 훔쳐 달아나도 모르는 척 다시 친구로 지낸다.

할아버지 불량배들이 운동할 때 접근하여도 엄마는 절대 화내지 않는다.

엄마는 비정규직 강사로 고용이 되었을 때에도 모든 청소를 도맡아 했다.

그런 엄마가 어딘지 모르게 밉고 짜증나는 기분이 들었다.

나는 엄마에게 따져 물었다.

엄마는 왜 쓸데 없는 일에 참관해?

그렇게 할 일이 없어?

엄마 일들이나 잘 해.

그러자 엄마가 차분히 말했다.

네가 이렇게 행복하게 살 수 있는 이유.

물론 네가 엄마 아빠를 잘 만난 것도 있지.

하지만 나는 하느님을 믿는단다.

엄마 아빠가 살면서 좋은 일들을 많이 하였기에

네가 이렇게 축복된 삶을 사는 거란다.

사람들이 너에게 함부로 할 수 없는 이유.

누가 보아도 너는 사랑을 많이 받은 딸이기 때문이야.

그 사랑을 나는 너에게만 쏟지 않는단다.